ANA MARIA MACHADO

Uma, Duas, Três PrincesaS

Uma, duas, três princesas

Gerente editorial	Fabricio Waltrick
Editora	Lavínia Fávero
Editora assistente	Elza Mendes
Coordenadora de revisão	Ivany Picasso Batista

ARTE

Projeto gráfico	Luani Guarnieri
Coordenadora de arte	Soraia Scarpa
Assistente de arte	Thatiana Kalaes
Tratamento de imagem	Cesar Wolf, Fernanda Crevin

CIP-BRASIL. CATALOGAÇÃO NA FONTE
SINDICATO NACIONAL DOS EDITORES DE LIVROS, RJ

M129u

Machado, Ana Maria, 1941-
Uma, duas, três princesas / Ana Maria Machado; ilustrações Luani Guarnieri. - São Paulo: Ática, 2013.
40p.: il. (Abrindo Caminho)

ISBN 978-85-08-15937-6

1. Literatura infantojuvenil brasileira. I. Guarnieri, Luani. II. Título. III. Série.

12-3142. CDD: 028.5
CDU: 087.5

ISBN 978 85 08 15937-6
CAE: 272478
Código da obra CL 737799

2018
1ª edição
6ª impressão
Impressão e acabamento: Vox Gráfica

Avenida das Nações Unidas, 7221 – CEP 05425-902 – São Paulo, SP
Atendimento ao cliente: 4003-3061 – atendimento@aticascipione.com.br
www.aticascipione.com.br

ANA MARIA MACHADO
Uma, Duas, Três
PrincesaS
ILUSTRAÇÕES LUANI GUARNIERI
SÉRIE abrindo caminho
ea
editora ática

Era uma vez um rei que tinha uma filha...

Não, foi mais que isso.

Eram duas vezes um rei que tinha uma filha?

Três vezes?

O rei era o mesmo. A rainha também. Num só e único reino. Mas três vezes tiveram filhas. Três filhas.

O reino todo queria um herdeiro para o trono, um príncipe. E só nascia princesa. Num lugar e num reino em que mulher não podia governar.

Era uma vez um rei e uma rainha que tinham três filhas? Pode ser.

Uma, duas, três princesas.

Quando nasceu a terceira, o rei disse para a rainha:

– O que é que a gente faz agora, minha majestade querida?

Ela olhou a nova princesinha linda, moreninha com olhos de jabuticaba, e sorriu. Depois viu as irmãs dela todas felizes com a neném recém-nascida. Também moreninhas, de cabelo cacheado. Uma com olhos que pareciam azeitona preta, outra com olhos que lembravam avelãs. As duas sorriam de volta para ela.

A rainha sorriu mais ainda e respondeu ao rei:

– Agora, meu querido, só temos um jeito.

– Qual?

– Vamos ser modernos e acabar com essa história de príncipe herdeiro.

Foi isso mesmo o que o rei fez.

Mandou um projeto para o parlamento, propondo que princesas também pudessem herdar o trono e mandar em tudo um dia, como já acontecia em alguns países.

E como naquele reino quem mandava de verdade era mesmo o parlamento, os parlamentares acharam ótimo que o reino ficasse mais moderno ainda.

Mas com uma condição: para reinar, as princesas iam precisar ter a mesma educação que os príncipes antes tinham. Para ficarem tão sabidas e preparadas como eles.

Portanto, assim ficou sendo.

Por conta disso, as meninas ganharam computadores. E com eles navegaram.

Jogaram jogos empolgantes.

Aprenderam muitas coisas diferentes.

Viram vídeos emocionantes, de muitas terras e gentes.

Ouviram histórias, viram fotos, por tudo se interessaram.

Leram até algumas revistas e livros, quando encontraram. Principalmente a mais velha.

Até que um dia chegou a hora.
Pois é, nas histórias tem sempre esse momento de um dia.
É quando acontece alguma coisa que muda.
E o que andava certinho, tudo igual, de repente vai embora.
Pois é, esse dia chegou agora.

E nesse dia, começaram a surgir no reino umas notícias estranhas.
De um encanto ou feitiço, feito doença esquisita.
Todos logo se preocuparam. Teve gente bem aflita.
E quando menos esperavam, o rei ficou bem doente,
preocupando a toda gente.

Nas outras histórias, as tais dos três irmãos, seria hora de reunir os sábios, os ministros e mandar chamar os três príncipes.

Dizer a eles que alguém ia precisar correr mundo e ir a terras bem distantes.

Com urgência, quanto antes.

Partir em busca de algum remédio mágico para salvar o rei.

Coisas assim como: um manto de seda tão fino que pudesse passar dentro de um anel, um pássaro de ouro capaz de cantar e dançar, uma água perfumada que conseguisse iluminar a noite e outras coisas desse tipo. Bem lindas e encantadas.

Como salvar
um Rei
ABCDEF
ABCD
FGH

Então, fizeram a reunião. Os sábios e os ministros, tudo direito.

Sem príncipes, mas com as três princesas, que jeito?

– Precisamos resolver, acabar logo com isso.

– Dar um jeito no mistério, livrar o rei do feitiço.

Não foi nenhuma surpresa.

Sobrou para a primeira princesa.

A de olhos de azeitona, a que lia na poltrona.

Como ela sempre tinha lido muito, conhecia um monte de histórias de três irmãos príncipes. Sabia que não ia ter jeito. Por mais que fizesse tudo direito. Melhor nem tentar ou se meter.

Em todas elas, o mais velho não conseguia vencer.

Podia sair montado em seu cavalo branco para percorrer o mundo em busca de uma fada, mas não ia adiantar nada.

Podia ir a pé ou de trem.

Mas toda história contava como o primeiro fracassava – e o segundo também. Só o mais moço se dava bem.

Não estava ao seu alcance, não ia ter qualquer chance.

Por isso, fez a mochila, entrou no carro e partiu.

Pegou a estrada e sumiu.

Assim que pôde, se hospedou numa estalagem.

Entrou na internet e mandou uma mensagem.

Disse que não achara nada mas que estava preocupada.

Não podiam perder tempo, o pai podia piorar.

Era melhor descobrir logo como podia se tratar.

Que enviassem logo a outra irmã. A de olhos de avelã.

A princesa do meio tinha vantagens e desvantagens.

Os pais tinham exigido menos dela, que ficara menos tempo lendo e estudando. Mas tinha lido um pouco e ouvido as histórias que a mais velha contava.

Aprendera umas coisas e sabia uns truques.

O difícil era fazer funcionar. Mas bem que podia tentar.

PARQUE NACIONAL

Saiu pelo bosque procurando alguma velha catando lenha e a ajudou a carregar seu feixe de gravetos.

Procurou no pé da montanha até descobrir algum anão com a barba presa numa pedra para poder soltar.

Dividiu seu lanche com um velhinho faminto.

Mas não adiantou. Nenhum deles era encantado.

Foram boas ações, claro. Mas sem nenhum resultado.

Nenhum encantamento quebrado.

Mas a segunda princesa ainda insistia.
Como tinha bom coração, de nada desistia.
Recolheu um pássaro que caíra do ninho.
Protegeu um formigueiro à beira do caminho.
Livrou de uma arapuca um coelhinho.
E quase soltou no pasto os carneiros do vizinho.
Mas não apareceu nenhum rei dos pássaros nem das formigas nem dos coelhos nem dos carneiros nem de ninguém para vir ajudar.
E ela já não sabia mais o que inventar.

O pior foi quando ela beijou um sapo.
Eca!
Ele não virou príncipe.
E ela ainda ficou doente, com aquela gosma de meleca.
O jeito foi mandar avisar para a irmã caçula se preparar.

A princesa mais nova não tinha estudado tanto tempo.
Não ouvira tanta história e tinha menos na memória.
Mas não fazia mal.
Ia logo descobrir muita coisa bem legal.
Abriu logo o seu tablete e consultou a internet.
Não era como um livro mudo. Nele aprendia de tudo.
Sabedorias eternas que vinham do tempo das cavernas.
Descobertas bem recentes, novidades bem modernas.
Vinha tudo de roldão, só no clique de um botão.
Nem precisava estudar, vinha tudo de mistura. E com um monte de figura.

Logo que saiu de casa encontrou um lobo na floresta e avisou para ele não se meter com uma avó numa cabana. Lá podia ter bolo de banana mas não era festa:

– Cuidado que o caçador está lá perto. Melhor ir pelo caminho mais deserto.

Saiu dali, esbarrou numa velha horrorosa que vendia maçãs. Quebrou um espelho mágico que ela levava e acabou para sempre com a história dela.

Num dia em que estava com fome, encontrou uma abóbora enorme. Fez uma bela sopa numa fogueira. Mas nunca mais Cinderela pôde ir ao baile.

Ainda bem. Porque pouco antes a princesa caçula já tinha trocado o sapatinho de cristal por um pé de bota e agora o príncipe andava procurando um gato que sabia caçar até não poder mais. E lhe trazia presentes em nome do Marquês de Carabás.

E a princesinha não ficou por aí.

Encontrou um feijão na beira da estrada e entregou a uma rainha em busca de uma verdadeira princesa que pudesse casar com um príncipe meio bobo que deixava os outros escolherem sua noiva.

Tudo bem, fez o mesmo efeito que a ervilha embaixo do colchão. Essa história não se perdeu.

Mas o coitado do João não conseguiu plantar seu pé de feijão, não subiu ao castelo do gigante e nunca pôde apanhar a galinha dos ovos de ouro.

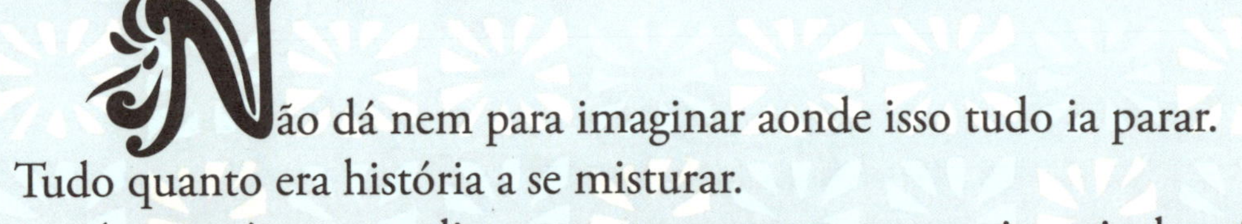

Não dá nem para imaginar aonde isso tudo ia parar. Tudo quanto era história a se misturar.

A sorte é que um dia começaram a aparecer nos jornais do reino umas cartas de leitores que diziam coisas mais ou menos assim:

NOTÍCIAS DO REINO

As recentes trapalhadas das princesas em busca do fim do encantamento que caiu sobre nosso reino acabam sendo tão prejudiciais quanto o próprio feitiço em si. Não basta navegar na internet. É necessário saber se dá para acreditar no que a gente encontra quando navega.

Venho, pela presente, protestar contra a ação da princesa mais nova, que pensa que sabe uma porção de coisas mas não sabe nada. Será que ninguém nunca explicou a ela que não adianta ficar só assistindo a desenho animado?
Nosso reino está perdido. É muito preocupante que Suas Majestades tenham educado tão mal as princesas. Agora as consequências caem sobre todos nós.

UNIVERSIDADE

Mas a princesa mais velha sabia.
Os ministros lembraram. Mandaram buscar a princesa que lia.
Ela não tinha apenas olhos de azeitona.
Conhecia o que fica em pé, quando o resto desmorona.
Assim que recebeu o convite, ela deu logo seu palpite:

– Essa história de encantamento é falta de conhecimento.

– Como assim? Pode dar uma pista?

– Contratem um especialista. Quem conheça o assunto. E tenha estudado em tudo quanto é canto, com livro, escola, professor, laboratório, televisão e computador.

Foi o que fizeram e deu certo. Até que tinha uns bons ali por perto.

O rei e a irmã do meio ficaram bons.

A caçula foi para a escola.

E a mais velha?

Viveu feliz para sempre? Quase.

Mas ficou para sempre livre da obrigação de seguir tudo igualzinho a como já estava escrito. E de fazer tudo repetido.

Por isso viveu feliz às vezes.

Como todo mundo, teve dias de riso e dias de choradeira. Mas ficou para sempre curiosa e inventadeira.

Foto: divulgação

Ana Maria Machado nasceu no Rio de Janeiro, em 1941. Com 8 anos, já lia de tudo: de histórias em quadrinhos a Monteiro Lobato. E querendo sempre aprender mais, experimentar, buscar, tornou-se uma mulher de muitas atividades. Trabalhou como professora universitária, jornalista, radialista, artista plástica, foi dona de livraria especializada em obras para crianças... Criou suas primeiras histórias para a revista *Recreio*, em 1969. E logo se tornou um dos maiores nomes da literatura infantojuvenil brasileira, com mais de uma centena de livros publicados. Ganhou seu primeiro prêmio, o João de Barro, em 1977, com *História meio ao contrário*. Desde então, tem recebido o reconhecimento da crítica do Brasil e do exterior, com prêmios importantes como o Hans Christian Andersen, da Dinamarca, e o Príncipe Claus, da Holanda. É também a primeira autora infantojuvenil eleita para a Academia Brasileira de Letras. Ana fica superfeliz com as homenagens e prêmios que vive recebendo, mas alegria maior mesmo é saber que crianças brasileiras e de muitos outros países adoram seus livros. Para saber mais, visite o site www.anamariamachado.com

Paulista de São Bernardo do Campo, **Luani Guarnieri** nasceu em 1984 e desenha desde pequena. Seu traço é influenciado pela *art nouveau* (movimento artístico surgido na Europa no final do século XIX), pela arte contemporânea e pelo cinema moderno. Luani conta que adorou conhecer as princesas inesperadas desse livro. Encontrar as cores, texturas e formas que representassem o universo cheio de força de vontade, esperança e conhecimento das três irmãs foi um delicioso desafio. Para fazer as detalhadas ilustrações, traçou os contornos pretos com diversas espessuras de caneta nanquim, depois utilizou papéis e técnicas de computador para colorir. A ilustradora gostaria de dedicar esse trabalho aos seus pais, que lhe ensinaram a não ser uma princesa medrosa.

Foto: arquivo pessoal